Internetdate

Uitgeverij Eenvoudig Communiceren / Lezen voor Iedereen
www.eenvoudigcommuniceren.nl
www.lezenvooriedereen.be

De serie *Thuisfront* gaat over problemen waarmee jongeren thuis te maken kunnen krijgen.

Tekst: Marjan van Abeelen
Redactie en vormgeving: Eenvoudig Communiceren
Beeld omslag: Shutterstock
Druk: Easy-to-read Publications

ISBN 978 90 8696 132 0
NUR 286

Marjan van Abeelen

Internetdate

1.

11ie zegt: En hoe vind je mijn haar?
Keff04 zegt: Nou ..., een beetje groen????
11ie zegt: Een beetje?
Keff04 zegt: Ja, een beetje. Ik kan het niet zo goed zien.
11ie zegt: Ik hang helemaal voor de webcam.
Keff04 zegt: Nog wat dichterbij.
11ie zegt: Zo goed?
Keff04 zegt: Het is groen.
11ie zegt: Vind je het leuk?
Keff04 zegt: Paars was ook wel mooi.
11ie zegt: Nu heb ik zin in groen.
Keff04 zegt: Mooi groen is niet lelijk.
11ie zegt: Ha ha.
Keff04 zegt: Waar koop je die verf?
11ie zegt: Gewoon, een vriendin van mij mixt het. Wil je ook?
Keff04 zegt: Nee.
11ie zegt: Zwart?
Keff04 zegt: Nee joh. Moet het dan? Ik heb gewoon melkboerenhondenhaar.

11ie zegt: ???
Keff04 zegt: Iets tussen bruin en blond. Gewoon, gewoon.
11ie zegt: Maar je bent niet gewoon.
Keff04 zegt: ???
11ie zegt: Je bent grappig. Je bent leuk. Je bent slim.
Keff04 zegt: Natuurlijk.
11ie zegt: Uitslover.
Keff04 zegt: Dat ben ik ook.
11ie zegt: Vind je mijn haar echt leuk?
Keff04 zegt: Ja!!!!
11ie zegt: Fijn.
Keff04 zegt: Volgende maand blauw?
11ie zegt: Misschien. Wat heb je gisteravond gedaan?
Keff04 zegt: Niks.
11ie zegt: Zaterdagavond!!!
Keff04 zegt: Geen zin. Nou ja, die vrienden van mijn ouders kwamen kaarten. Dat was wel leuk.
11ie zegt: ???
Keff04 zegt: Mijn moeder maakt dan altijd wat lekkers. Gister minisaté met pindasaus.

11ie zegt: Wat gezellig. %$#)*&%#@!
Keff04 zegt: Ach, de sateetjes waren lekker. Wat heb jij gedaan?
11ie zegt: Dat zie je toch? Mijn haar geverfd.
Keff04 zegt: Wacht ff.
11ie zegt: Met wie ben je nog meer aan het chatten?
Keff04 zegt: Mijn moeder vraagt wat.

Keff04 zegt: Ben ik weer.
11ie zegt: Wat was er?
Keff04 zegt: Ik ga mee naar de supermarkt.
11ie zegt: Moet je mee?
Keff04 zegt: Nee.
11ie zegt: Oké, ga je mams lekker helpen.
Keff04 zegt: Later.
11ie zegt: Tuurlijk.

2.

Het is echt groen, denkt Kevin.
Tuttebel, waarom verf jij je haar zo maf?
Hij zet zijn computer uit.
Zijn moeder staat bij de deur met de tassen.
'Ik ben blij dat je meegaat', zegt ze.
'Dat scheelt mij een hoop sjouwen.'
'Ja mam, je hebt een lief zoontje.' Kevin lacht.
'Zoontje?' Zijn moeder kijkt omhoog.
'Hoelang blijf je nog doorgroeien?'
'Tot twee meter tien.'
'Alsjeblieft niet.'
'Dan kun je me niet meer op mijn kop slaan.'
'Dat doe ik nooit.'
'Grapje.'
Kevin pakt de tassen. 'Wat eten we
vanavond?'
'Dat weet ik nog niet.'
'Soep met balletjes?'
'Misschien.'

Het is niet druk in de winkel.
'Hebben we nog melk nodig?', vraagt Kevin.

'Ja.' Zijn moeder legt een pak brood in het karretje. 'En zoek maar een toetje uit.'
'Mam?'
'Wat is er?'
'Heb jij wel eens iemand met groen haar gezien?'
'Groen?' Kevins moeder denkt na.
'Echt groen!' Kevin wijst naar een krop sla.
'Geverfd?'
'Je wordt er volgens mij niet mee geboren.'
'Eh ... nee. Ik ken niemand met groen haar.'
'Ik wel.'
'O.'
'Elfie van MSN . Ze heeft gisteren haar haar geverfd.'
'Echt groen?'
'Ja.'
'Vreemde kleur om je haar mee te verven.'
'Ze is ook een beetje vreemd. Maar wel leuk.'
'Hoelang chatten jullie nu al?'
Kevin haalt zijn schouders op. 'Een jaar of zo.'
'Het is jammer dat ze zo ver weg woont.
Ik zou dat meisje met groene haren wel eens willen zien.' Zijn moeder pakt gehakt uit de koeling.

‘Soep met balletjes?’, vraagt Kevin.
‘Nee, bloemkool met gehaktballen.’
‘Gatver’, zegt Kevin.

3.

Keff04 zegt: School verpest vandaag.
11ie zegt: ???
Keff04 zegt: Maatschappijleer. Wat kan die vent stomme repetities geven.
11ie zegt: ???
Keff04 zegt: Ik had me helemaal suf geleerd. En waar komt hij mee? Geef je eigen mening over dit. Geef je eigen mening over dat. Wat doet de koningin nog meer dan steden bezoeken op Koninginnedag?
11ie zegt: Dom!
Keff04 zegt: Ja. Ik zie wel wat voor cijfer ik krijg. Maar hoe was het bij jou?
11ie zegt: Mijn vader is kwaad.
Keff04 zegt: ???
11ie zegt: Omdat mijn haar groen is.
Keff04 zegt: Vindt hij het niet mooi?
11ie zegt: Nee!! Jij wel hè?
Keff04 zegt: Ja.
11ie zegt: Mijn vader weigert om met mij over straat te lopen.

Keff04 zegt: Hoe vaak gaan jullie eigenlijk samen weg?

11ie zegt: Bijna nooit. Je hebt gelijk. Waar maak ik me druk over?

Keff04 zegt: Doet het pijn?

11ie zegt: ???

Keff04 zegt: Haar verven.

11ie zegt: Nee, natuurlijk niet, gek!

Keff04 zegt: Ik ben niet gek.

11ie zegt: Nee. Want anders ben ik gek dat ik met je wil chatten.

Keff04 zegt: O. Dus met gekken MSN je niet.

11ie zegt: Natuurlijk niet! Ik heb al zoveel rare dingen gehoord.

Keff04 zegt: Ik doe niet raar.

11ie zegt: Ik geloof wel dat je een soort van normaal bent.

Keff04 zegt: Thanx.

11ie zegt: Ik meen het.

Keff04 zegt: Oké.

11ie zegt: En ik dan? Vind je mij normaal?

Keff04 zegt: Jij wel. Maar je haar niet.

11ie zegt: Wat is er mis met groen haar?

Keff04 zegt: Niks. Maar gras is groen, bomen zijn groen.

	Mensen hebben bruin, zwart, rood of blond haar.
11ie zegt:	Of grijs. En dan gaan ze het verven.
Keff04 zegt:	Niet allemaal. En je maakt mij niet wijs dat je zonder kleurtje grijs bent.
11ie zegt:	Dat weet je niet.
Keff04 zegt:	Je neemt me in de maling.
11ie zegt:	Misschien.
Keff04 zegt:	Ik ga stoppen. Morgen weer een butvak: dans. Ik moet nog een paar pasjes oefenen. Anders sta ik helemaal voor lul!
11ie zegt:	Ik wil best een keer met je dansen.
Keff04 zegt:	Wie weet ...

4.

Kevins moeder zit achter de computer.
Thuis doet ze een hoop op de computer
voor haar werk, maar computeren is ook
haar hobby. Urenlang kan ze op allerlei sites
rondkijken. Gelukkig is er nog een computer
in huis. Kevin is er blij mee. Anders kan hij
bijna nooit chatten.
Hij heeft al 168 vrienden. Elfie is zijn beste
chatvriendin.
Een jaar geleden zat hij op een spelletjessite.
Hij vindt biljarten erg leuk.
Hij klikte op de naam 'Allemaal ballen'.
'Allemaal ballen' wilde wel met hem spelen.
Hij won vier keer.
'Je bent goed', typte 'Allemaal ballen'.
Dat was Elfie.
Ze kletsten met elkaar en gaven elkaar hun
MSN. Nu chatten ze bijna elke dag met elkaar.
Hij heeft haar nog nooit echt ontmoet.
Ze woont een eind bij hem vandaan.

'Sjaak, ik zie hier een heel leuk vakantieadres.'

Kevins moeder draait haar bureaustoel om.
Ze kijkt vrolijk naar zijn vader.
'Vakantie?' Zijn vader trekt zijn wenkbrauwen op.
'Het is winter. Je houdt niet van wintersport!'
'Dat klopt en daar wil ik ook niet naartoe.
Ik wil in de meivakantie een paar dagen weg.'
Kevin luistert mee.
Ze gaan bijna nooit in de meivakantie weg.
Wel in de zomer.
Soms met het vliegtuig. Soms naar een camping.
'Wat heb je op internet gevonden?', vraagt zijn vader.
'Een soort verbouwde boerderij.' Zijn moeder staat op. 'In Limburg. Het staat op een berg. En je kunt er van alles doen. Fietsen, wandelen ...'
Leuk, denkt Kevin. Maar niet heus. Ik heb geen zin om in mijn vakantie te fietsen en te wandelen. Ik houd niet van fietsen en wandelen. Vakantie moet echt leuk zijn.
'Het huis ligt vlak bij Vaals', zegt zijn moeder.
'Daar kun je ook van alles doen.'
Kevin schiet overeind.

Elfie woont in de buurt van Vaals.
'Wat vind jij ervan?', vraagt zijn moeder aan hem
'Heb je zin om in de meivakantie weg te gaan?'
'Eh, dat is misschien wel leuk', zegt Kevin.

5.

11ie zegt: Kun je het zien?

Keff04 zegt: Niet zo goed.

11ie zegt: Koop dan eens een goeie webcam.

Keff04 zegt: Weet je hoe duur die dingen zijn?

11ie zegt: Hoeveel zakgeld krijg je?

Keff04 zegt: Te weinig.

11ie zegt: Ha, ha.

Keff04 zegt: Wat moet ik nou zien?

11ie zegt: Mijn haar!

Keff04 zegt: Het lijkt minder groen.

11ie zegt: Nu is het bruin. Een soort bruin.

Keff04 zegt: Ik geloof dat ik het zie.

11ie zegt: Hoe vind je het?

Keff04 zegt: Wel leuk.

11ie zegt: Ik mag nu weer met mijn vader mee.

Keff04 zegt: Jij blij.

11ie zegt: Een beetje. Ik vond groen best mooi.

Keff04 zegt: Mooi groen is niet lelijk.

11ie zegt: Dat heb je al gezegd. Mijn haar was mooi groen!

Keff04 zegt: Waarom heb je het dan weer geverfd?

11ie zegt: Ik weet het niet. Heb je je cijfer voor maatschappijleer al terug?

Keff04 zegt: Dat wil je niet weten. En mijn ouders ook niet.

11ie zegt: ???

Keff04 zegt: Een één voor de moeite.

11ie zegt: Ah, nee.

Keff04 zegt: Eigen mening? Helemaal fout! Leraar en ik denken heel anders. Koningin Beatrix? Nou, mijn moeder leest wel eens van die blaadjes. En dan vertelt ze tijdens het eten het laatste nieuws. Bijvoorbeeld dat onze koningin wel eens op Amalia, Alexia en Ariane past. Je weet wel, haar kleinkinderen. Ik vond het best goed van mezelf dat ik die namen onthouden heb.

11ie zegt: Super, ik ken ze niet hoor.

Keff04 zegt: En ze gaat ook wel eens op

bezoek bij de ouders van Máxima. In Brazilië, dacht ik.

11ie zegt: Niet goed?

Keff04 zegt: Alles fout. Ik had over onze constitutionele monarchie moeten schrijven.

11ie zegt: Consti ... wat?

Keff04 zegt: Ik heb het woord net uit mijn boek overgetypt. Er staan drie regels met uitleg onder. Die heb ik niet geleerd. Wil jij weten wat het is?

11ie zegt: Ik geloof het niet.

Keff04 zegt: Brazilië was dus ook fout.

11ie zegt: ???

Keff04 zegt: Het is Argentinië. Daar wonen de ouders van Máxima.

11ie zegt: Ver weg. Daar ben ik nooit geweest.

Keff04 zegt: Ik ook niet.

11ie zegt: We gaan bijna nooit op vakantie.

Keff04 zegt: Mijn moeder wil in de meivakantie weg.

11ie zegt: Waar naartoe?

Keff04 zegt: Naar Vaals. Ergens op een bergje.

11ie zegt: Vaals ligt maar ongeveer twintig kilometer bij mij vandaan!!!!!

Keff04 zegt: Ik weet het. Mijn ouders willen fietsen en wandelen. &^%$#%^!

11ie zegt: Er zijn heel leuke fietsroutes.

Keff04 zegt: Ik wil geen twintig kilometer naar jou toe fietsen.

11ie zegt: Gaan we wat afspreken?

Keff04 zegt: Natuurlijk. Als ik toch in de buurt ben ...

11ie zegt: Er rijden in Limburg ook bussen.

Keff04 zegt: O ja?

11ie zegt: Hallo, ik woon niet in een reservaat!!!!

Keff04 zegt: Nou ja, vergeleken met Rotterdam is jouw dorp heel klein.

11ie zegt: In Rotterdam wonen veel buitenlanders, hè?

Keff04 zegt: Nou en?

11ie zegt: Niks, maar zouden ze allemaal weten dat we een consti ... nog wat hebben?

6.

'Je vindt het toch wel leuk om naar Limburg te gaan?' Kevins moeder staat op het punt om naar haar werk te gaan.
'Ja, dat heb ik toch gezegd.' Kevin zit rustig te ontbijten. Hij is het eerste uur vrij.
'Misschien is er niet zoveel voor jou te doen. Ik weet eigenlijk niet of er een disco in de buurt is.'
'Mam, ik ga nooit naar een disco. Ik houd niet van die herriemuziek. Is er wel internet?'
'De eigenaar van het huis heeft een website. Dus dan moet er internet zijn.'
'Neem je dan je laptop mee?', vraagt Kevin.
'Dat weet ik nog niet. Ik wil niet dat je de hele dag achter de computer zit.'
'Dat doe jij toch ook?'
'Pardon! Niet brutaal zijn, meneertje!'
'Nee mammie.'
Kevins moeder gaat achter hem staan. 'Denk erom!' Ze woelt met haar hand door zijn haar.
'Niet doen!', roept Kevin. 'Mijn haar!'
Kevin schudt zijn hoofd heen en weer.

‘Je verpest mijn haar, mam.’
‘Stel je niet zo aan. Zo zit het veel leuker.’
‘Niet waar.’
Kevin staat op en loopt naar de spiegel.
‘Kijk nou wat je gedaan hebt, mam!’
Hij probeert met zijn handen zijn haar weer in model te krijgen.
‘Waarom verf je het niet groen? Net als Elfie. Dan heb je pas bijzonder haar.’ Zijn moeder loopt naar de deur.
‘Ik ga. Veel plezier op school.’
‘Mam!’
‘Wat is er?’
‘Elfie heeft geen groen haar meer.’
‘Wat heeft ze dan nu? Geel, zwart, rood?’
‘Nee, bruin.’
‘Normaal dus.’
‘Mam, wat is normaal?’

7.

11ie zegt:	Mijn kop jeukt.
Keffo4 zegt:	Hoe komt dat?
11ie zegt:	Weet ik veel.
Keffo4 zegt:	Dat weet ik niet!
11ie zegt:	???
Keffo4 zegt:	Dat moet ik van mijn moeder zeggen.
11iezegt:	???
Keffo4 zegt:	Ze wil niet dat ik: weet ik veel, zeg.
11ie zegt:	Dom!
Keffo4 zegt:	Misschien. Maar jij zit dus met je handen in het haar.
11ie zegt:	Ik kan met één hand typen. Met mijn andere hand krab ik op mijn hoofd.
Keffo4 zegt:	Je KOP jeukt toch?
11ie zegt:	Ha ha, grappig hoor. Ik zal voortaan goed op mijn woorden letten.
Keffo4 zegt:	Dat hoeft niet. Maar misschien moet je je haar wassen.

11ie zegt: Heb ik al gedaan.
Keff04 zegt: Misschien moet je er iets op smeren.
11ie zegt: Heb ik ook al gedaan.
Keff04 zegt: Misschien moet je naar de dokter.

Kevin wacht op antwoord. Het duurt lang.
Hij stuurt een buzzer.

11ie zegt: *&^#$&(&$!!!
Keff04 zegt: Wat is er?
11ie zegt: Shitter de shitter de shit!
Keff04 zegt: ???
11ie zegt: Ik heb een pluk haar in mijn hand!
Keff04 zegt: ???
11ie zegt: Ik val uit!
Keff04 zegt: ????????????????????????????
11ie zegt: Mijn haar valt uit!!!!!!!!!!!!!!!!
Keff04 zegt: Bel 112.
11ie zegt: Doe ff serieus, ja?
Keff04 zegt: Sorry.
11ie zegt: Shit, weer een pluk.
Keff04 zegt: Misschien komt het van het verven.

11ie zegt: Ik verf mijn haar al drie jaar.

Keff04 zegt: Dat bedoel ik. Misschien heb je het te vaak geverfd.

11ie zegt: Ik vind het niet leuk!

Keff04 zegt: Dat snap ik.

11ie zegt: Straks word ik helemaal kaal!

Keff04 zegt: Nee joh.

11ie zegt: En als ik echt kaal word?

Keff04 zegt: ???

11ie zegt: Kom je dan nog wel naar me toe?

Keff04 zegt: Natuurlijk!

11ie zegt: Ik zet de webcam uit.

Keff04 zegt: Waarom?

11ie zegt: Ik wil niet dat je mij ziet uitvallen.

8.

Kevin komt te laat op school. Hij staat bij de receptie.
'Waarom ben je te laat?', vraagt mevrouw Hedy.
Kevin haalt zijn schouders op. 'Te laat van huis weggegaan.'
'Dat is je eigen schuld.' Mevrouw Hedy zucht. 'Je bent vandaag al nummer zoveel.'
Ze tikt iets in op de computer. 'Oké Kevin. Dat wordt inhalen. Morgen het achtste uur.'
Kevin denkt na. 'Dan kan ik niet. Dan moet ik naar gitaarles.'
'Pech voor je.'
'Ik moet echt naar gitaarles. We krijgen een toets.'
Mevrouw Hedy kijkt Kevin aan. 'Ik wist niet dat je op gitaarles zat.'
'U kunt toch niet van alle leerlingen alles weten?'
'Dat klopt.'
'Als u mij niet gelooft, neem ik mijn gitaar mee naar school. En dan speel ik wel wat.'

Mevrouw Hedy lacht. 'Hoeveel nummers kun je spelen?'
'Ongeveer vijfhonderd', zegt Kevin.
'Echt waar?'
Kevin haalt nog een keer zijn schouders op.
'Ik kan een nummer van Elvis Presley spelen: Are you lonesome tonight ... Dat komt toch uit de tijd dat u jong was?'
Mevrouw Hedy hoest en verslikt zich bijna.
'Hoe oud denk je dat ik ben?'
'Nou ...' Kevin denkt: Ik moet aardig doen.
'Eh ... Boven de veertig?'
'Jij mag morgenochtend om acht uur een liedje komen spelen', zegt mevrouw Hedy.
'En dan mag je overmorgen inhalen.'
'Wat bent u streng', zegt Kevin.
'Dat moet wel met zulke schatjes op school.'
Mevrouw Hedy geeft Kevin een briefje. 'Ik ben erg benieuwd naar jouw gitaarspel.'
'Wacht maar', zegt Kevin.

9.

Keff04 zegt: Hoe is het met je haar?

11ie zegt: Ik wil een woord zeggen dat niet netjes is.

Keff04 zegt: +)*^%^$#$#@ ??

11ie zegt: Ja, misschien nog erger.

Keff04 zegt: Ben je bij de kapper geweest?

11ie zegt: Ja.

Keff04 zegt: En?

11ie zegt: Kaal!

Keff04 zegt: Kaal?

11ie zegt: Je kunt toch lezen?

Keff04 zegt: Doe je webcam aan.

11ie zegt: Nee. *)^$%%&^#$!

Keff04 zegt: Kom op!

11ie zegt: Nee, never nooit niet.

Keff04 zegt: Stel je niet aan. Ik ben het.

11ie zegt: Wat weet jij van een kale kop?

Keff04 zegt: Heb je nu weer een kop?

11ie zegt: Ja! Een vreselijk kale kop. Ik ben zo kaal als een biljartbal!!!

Keff04 zegt: O no!!

11ie zegt: Kev, ik heb bij de kapper zitten

	janken. Ze heeft alles afgeschoren.'
Keff04 zegt:	Arme Elfie. Ik meen het.
11ie zegt:	Je had gelijk. Het komt door het verven. Mijn vriendin had van alles door elkaar gemengd en dat is niet goed.
Keff04 zegt:	En nu?
11ie zegt:	De kapster zei dat mijn haar dodelijk beschadigd was.
Keff04 zegt:	Dodelijk?
11ie zegt:	Ik ga niet dood. Mijn haar is dood.
Keff04 zegt:	Arme kale.
11ie zegt:	Weet je niets anders te zeggen?
Keff04 zegt:	Sorry, nee.
11ie zegt:	Ik snap het wel. Je wil niet met een biljartbal omgaan.
Keff04 zegt:	Dat is niet waar. Je weet toch dat ik van biljarten houd?
11ie zegt:	Ha ha. Nu lach ik. Een beetje.
Keff04 zegt:	Goed zo. Hebben ze trouwens in Limburg biljarttafels?
11ie zegt:	Je kunt een bal naar je kop krijgen.
Keff04 zegt:	Hoofd! Maar gooi maar, dan kop ik hem terug!

10.

Kevin ligt languit op de bank. Hij is alleen thuis. Zijn vader en moeder zijn naar hun kaartvrienden. Hij had geen zin om mee te gaan.
Nu mist hij wel de lekkere hapjes. Maar in de kast ligt nog een zak chips.
De tv staat aan. Kevin pakt de afstandsbediening.
Het programma dat op staat is saai.
Een stomme talentenjacht. Kevin vindt geen een van de deelnemers goed.
Ik had mezelf op moeten geven, denkt hij.
Ja toch, mevrouw Hedy? U vond me toch megagoed?
Kevin drukt op de afstandsbediening.
Een praatprogramma. Ook saai.
Een natuurfilm. Als het nou over apen ging?
Een ziekenhuisserie. Ja hoor, de verpleegster zal wel op de dokter verliefd worden.
Dan maar TMF.
Kevin zet het geluid harder.
Pech voor de buren, denkt hij.

Het nummer dat gespeeld wordt is wel leuk.
Hij kent het.
Misschien staat het op YouTube, denkt hij.
Dan kan ik het naspelen, denkt hij.
Het volgende nummer vindt hij niet leuk.
Eigenlijk vindt hij vandaag heel veel niet leuk.
Hij moet de hele tijd aan Elfie denken.
Wat rot dat ze kaal is. Zielig dat ze bij de kapper heeft zitten huilen.
Over zes weken gaan zijn ouders en hij naar Limburg. Zal ze dan alweer haar hebben?
Het kan me niet schelen, denkt hij. Ik wil haar zien. Met of zonder haar. Ze is stoer, slim en grappig op MSN. Ik ben benieuwd of ze in het echt ook zo is.

11.

Keffo4 zegt: Hoi.
Keffo4 zegt: Hoi hoi!
Keffo4 zegt: Hé, je bent toch online?
Keffo4 zegt: Zit je op de plee?
Keffo4 zegt: Hallo!!!!!!!!!

Kevin stuurt een buzzer naar Elfie.

Keffo4 zegt: Wil je het uitmaken?

Kevin stuurt nog een buzzer.

11ie zegt: Is het dan aan?
Keffo4 zegt: Weet ik niet.
11ie zegt: Wat is er?
Keffo4 zegt: Niks.
11ie zegt: Met mij is er ook niks. Behalve dat ik een ongewenste biljartbal heb.
Keffo4 zegt: Begint je haar nog niet te groeien?
11ie zegt: In één dag?

Keff04 zegt: Dat kan toch? Ik bedoel, mijn vader scheert zich elke dag.

11ie zegt: Hallo, ik had geen baard op mijn hoofd!

Keff04 zegt: Ik heb gisteren de hele dag aan je gedacht.

11ie zegt: Lief. Maar ik niet aan jou.

Keff04 zegt: O?

11ie zegt: Ik zit me suf te denken hoe ik morgen naar school zal gaan.

Keff04 zegt: Ja, morgen is het alweer maandag.

11ie zegt: Ik heb op Marktplaats naar een pruik gezocht.

Keff04 zegt: Een tweedehands pruik?

11ie zegt: Marktplaats!!!

Keff04 zegt: Je weet nooit welk hoofd onder zo'n ding heeft gezeten.

11ie zegt: Daarom ben ik ook gestopt met zoeken.

Keff04 zegt: Wat vindt je vader van je biljartbal?

11ie zegt: Hij zei: Eigen schuld.

Keff04 zegt: En je moeder?

11ie zegt: Ik zal het eerlijk zeggen.

	Mijn ouders en mijn zussen hebben me allemaal uitgelachen.
Keff04 zegt:	Valse krengen!
11ie zegt:	Ja.
Keff04 zegt:	Ga je morgen kaal naar school?
11ie zegt:	Nee.
Keff04 zegt:	Hoe dan?
11ie zegt:	Mijn hersens kraken bijna.
Keff04 zegt:	Vertel. Wat zijn je opties?
11ie zegt:	1. Ik blijf thuis. Gewoon spijbelen. 2. Ik wikkel verband om mijn hoofd. Misschien vinden ze me op school zielig. 3. Ik doe een hoofddoek om en zeg dat ik moslim ben geworden.
Keff04 zegt:	Dat laatste kun je niet maken!!!!!!
11ie zegt:	Weet ik.
Keff04 zegt:	Respect, meisje.
11ie zegt:	Ik ben wanhopig.
Keff04 zegt:	Je kunt ook gewoon een sjaal om je biljartbal binden.
11ie zegt:	Ik heb alleen een gebreide wintersjaal.
Keff04 zegt:	Kaal of met een sjaal!!!

12.

Biljartbal, je bent gek!, denkt Kevin. Hij sluit de computer af.
Of ik ben gek. Want ik geloof dat ik gek op jou word. En dat moet gek zijn. Ik ken je alleen van internet.
Gek! Of niet?
Kevin staat op en loopt naar de spiegel.
Hij kijkt naar zijn haar. 's Ochtend is hij een kwartier in de badkamer bezig.
Wassen is zo gebeurd. Hij heeft een beugel. Die moet hij goed poetsen.
Maar dan zijn haar. Daar heeft hij meer tijd voor nodig.
Natmaken, föhnen. Dan kammen en met gel in model brengen. Hij wil gewoon graag dat zijn haar goed zit.
Hoe zou het zijn om kaal te zijn?, denkt Kevin.
Arme Elfie.
Hij weet niet hoe ze er nu uitziet. Ze zet haar webcam niet meer aan. Hij wel.
Hij weet alleen niet of zij naar hem kijkt.
En wat ze echt van hem vindt.

Op internet kun je zeggen wat je wilt. Je kunt alles zeggen terwijl je liegt dat je barst.
Maar ik ben eerlijk, denkt Kevin.
Nou ja, ik heb wel eens gelogen. Niet tegen Elfie. Maar tegen een jongen.
Die jongen zei op internet dat hij megagoed gitaar kon spelen. En dat zijn muziekleraar hem een supertalent vond. Dat hij daarom van zijn vader een gitaar van meer dan duizend euro had gekregen.
Toen schreef Kevin dat hij gitaren spaarde. En dat hij er al zeven had.
Dat geloofde die jongen niet.
Kevin zei: 'Kom maar een keer bij mij langs.'
Dat kon hij makkelijk zeggen. Die jongen woont bijna tweehonderdvijftig kilometer bij hem vandaan.
Ze hebben nooit een afspraak gemaakt.
Kevin loopt naar zijn enige gitaar. Die staat in een standaard naast zijn bureau. Hij pakt hem vast en gaat op zijn bed zitten.
Hij kan best goed gitaar spelen. Soms verzint hij zelf een liedje. Nu een nummer voor Elfie, denkt hij. Zijn vingers glijden over de snaren en hij zoekt naar woorden.

Elfie, kleine kale bal,
Soms doe je een beetje mal.
Je hebt nu geen haar meer,
Doet dat heel erg zeer?
Maar daar beneden in het land,
Wil ik met je lopen, hand in hand.

Hij mompelt de woorden zachtjes. En hij vindt de bijpassende muziek.
Na een tijd zet hij zijn gitaar weg.
Eigenlijk wel een goed nummer, denkt hij.
Ik neem in ieder geval mijn gitaar mee naar Limburg.

13.

11ie zegt: Ik heb stekels!

Keff04 zegt: Groeit je haar weer?

11ie zegt: Ja!!!!!!!!!!!!! Tenminste, ik denk van wel.

Keff04 zegt: Welke kleur heeft het?

11ie zegt: Groen.

Keff04 zegt: Niet liegen.

11ie zegt: Blond.

Keff04 zegt: Ben je blond?

11ie zegt: Ik ben er ooit mee geboren.

Keff04 zegt: Ik houd wel van blond.

11ie zegt: O.

Keff04 zegt: Maar ook van paars en groen en bruin.

11ie zegt: En van kaal?

Keff04 zegt: Mijn opa is kaal.

11ie zegt: Ik heb geen opa's meer. Mijn vaders vader heb ik nooit gekend. Mijn moeders vader is twee jaar geleden overleden.

Keff04 zegt: Rot.

11ie zegt: Hij had kanker.

Keff04 zegt: Dat is erg.

11ie zegt: Weet je Kev?

Keff04 zegt: Nee.

11ie zegt: Ik was bang.

Keff04 zegt: ???

11ie zegt: Toen mijn haar uitviel, was ik zo bang.

Keff04 zegt: Dacht je dat jij kanker had?

11ie zegt: Ja. Bijna alle mensen die kanker hebben worden kaal!!!

Keff04 zegt: Van chemokuren en medicijnen.

11ie zegt: Weet ik. Maar ik was toch bang.

Keff04 zegt: Ben je nu nog bang?

11ie zegt: Een beetje.

Keff04 zegt: Waarom?

11ie zegt: Ik weet het niet.

Keff04 zegt: ???

11ie zegt: Ik durf mijn cam nog niet aan te zetten.

Keff04 zegt: Waarom niet??????????

11ie zegt: Ik ben doorzichtig kaal.

Keff04 zegt: ???

11ie zegt: Ik heb een soort kaal hoofd. Hier en daar lijkt wat te groeien.

Keff04 zegt: Wees blij!
11ie zegt: Ben ik.
Keff04 zegt: Nou dan.
11ie zegt: Maar je komt bijna naar Limburg.
Keff04 zegt: Dus?
11ie zegt: Die gebreide sjaal kriebelt.
Keff04 zegt: Je hoeft voor mij geen sjaal om te doen.
11ie zegt: Als je hier bent heb ik nog steeds fout haar.
Keff04 zegt: Ik heb een liedje gemaakt.
11ie zegt: Waar heb je het nu weer over?
Keff04 zegt: Voor jou.
11ie zegt: O.
Keff04 zegt: Ja.
11ie zegt: Ga je voor me zingen?
Keff04 zegt: Misschien.
11ie zegt: Ik wil het nu horen!!!!!!!!!
Keff04 zegt: Dan moet jij je webcam aanzetten.
11ie zegt: Oké. Maar dan ga ik wel onder de tafel zitten.
Keff04 zegt: Doe normaal!
11ie zegt: Ik doe normaal. Alleen mijn haar niet!!!!!!!!!!!!!!!!!!!!!!!!

14.

'Het is aan. Ik heb verkering!' Kevins beste vriend Adam geeft hem een klap op zijn schouder.
'Echt waar?', vraagt Kevin.
'Yes!', zegt Adam.
'Vertel!'
Ze lopen samen op het schoolplein. Over tien minuten gaat de bel.
'Ze heet Marthy.'
'Marthy? Dat klinkt niet echt Marokkaans.'
'Ze is niet Marokkaans.'
Kevin blijft even staan. 'O?'
Adam loopt een klein stukje door. Dan blijft hij ook staan. 'Wat nou: O?'
Kevin haalt zijn schouders op. 'Niks. Als je haar leuk vindt ...?'
'Ik ben al een hele tijd gek op haar.'
'En zij nu ook op jou?', vraagt Kevin.
'Ja!'
'Gefeliciteerd. Ken ik haar?'
Adam lacht. Hij kijkt op zijn horloge.
Ze hoeven nog niet naar binnen.

'Misschien. Ze zit in 2C.'
'Marthy uit 2C?' Kevin denkt na. 'Die ken ik niet.'
'Jawel. Ze is klein en blond. En ze heeft een heel lange vlecht.'
'O, dat meisje?' Kevin trekt zijn wenkbrauwen op. 'Je hebt nooit tegen mij gezegd dat je haar leuk vindt.'
'Ik vertel je niet alles.'
'Kan het wel?'
Wat bedoel je?', vraagt Adam.
'Nou', zegt Kevin. 'Jij bent Marokkaans; moslim. Zij niet.'
'Dus?'
'Neem je haar mee naar je huis?'
'Nog niet', zegt Adam.
Kevin loopt naar de deur.
Op het raam ernaast hangen de roosterwijzigingen voor vandaag.
'Engels valt uit', zegt hij.
'Mooi. Ik heb niet geleerd.' Adam lacht.
'Zeker Marthy's schuld?'
'Eh, ik was er ook bij.'
Ze gaan naar binnen. In de hal is het erg druk.
Maar mevrouw Hedy ziet Kevin lopen.

‘Kevin!’, roept ze hard.
Kevin duikt achter Adam weg.
‘Kevin!’, roept ze nog een keer.
‘Ga nou maar’, zegt Adam. ‘Ze ziet alles.
Ze weet alles en ze onthoudt alles.’
Kevin knikt.
Hij gaat naar mevrouw Hedy.
‘Je hebt verleden week niet ingehaald’, zegt ze.
‘Vergeten.’
‘Ik niet. Je krijgt er een uur bij.’
Kevin zucht. ‘Wat bent u toch aardig.’

15.

Keff04 zegt:	Mijn vriend heeft verkering.
11ie zegt:	Hot news?
Keff04 zegt:	Nee. Maar ik vind het wel ??$%$#@!!!????????
11ie zegt:	???
Keff04 zegt:	Ze is Hollands.
11ie zegt:	???
Keff04 zegt:	Hij is Marokkaans.
11ie zegt:	Nou en?
Keff04 zegt:	Meestal gaat dat niet goed.
11ie zegt:	Waarom niet?
Keff04 zegt:	Hij is moslim.
11ie zegt:	???
Keff04 zegt:	Zij niet.
11ie zegt:	???
Keff04 zegt:	Hallo, kun je niks zeggen?
11ie zegt:	Ik kan heel veel zeggen. Maar misschien begrijp jij er niks van.
Keff04 zegt:	Kom maar op.
11ie zegt:	Hoe heet ze?
Keff04 zegt:	Marthy.
11ie zegt:	Nou, je vindt misschien je vriend en Marthy bijzonder.

	Maar in mijn dorpje en op mijn school vinden ze mij %^%%$&^$#@!!
Keff04 zegt:	Je hebt gelijk. Ik begrijp er niets van.
11ie zegt:	Ik ben niet zoals de rest.
Keff04 zegt:	???
11ie zegt:	Nu doe jij het.
Keff04 zegt:	???
11ie zegt:	Ja dat ???
Keff04 zegt:	Sorry. Dus je bent niet zoals de 'rest'.
11ie zegt:	Precies.
Keff04 zegt:	Vertel.
11ie zegt:	Ons dorp is klein. Maar ik woon niet in een reservaat. Dat heb ik al verteld. Ik kijk tv. Ik heb internet. Ik zit op facebook. En ik ben geen burgertrut.
Keff04 zegt:	???
11ie zegt:	Je doet het weer.
Keff40 zegt:	Wat is volgens jou een burgertrut?
11ie zegt:	Dat is iemand die doet wat iedereen doet. Omdat iedereen dat al zolang doet in ons dorp.

Keffo4zegt: O.
11ie zegt: Ik wil dat niet. Ik ben ik!
Keffo4 zegt: En dat kan niet? In jouw dorp?
11ie zegt: Nee. Ogen. Overal ogen.
Ze kijken en houden alles in
de gaten. Ik doe al een tijd niet
meer mee. En daarom lig ik eruit.
Keffo4 zegt: ???
Keffo4 zegt: Sorry.
Keffo4 zegt: Vertel.
11ie zegt: Ik doe bijvoorbeeld niet met de
'burgerlijke' mode mee. Als er
iets nieuws in de mode is,
loopt heel het dorp erin.
Keffo4 zegt: Zo erg?
11ie zegt: Oké. Misschien een beetje
overdreven. De ouwetjes doen
niet mee.
Keffo4 zegt: Ha ha.
11ie zegt: Ja, wat ben ik toch weer leuk.
Maar zodra ik achttien ben, ga ik
weg.
Keffo4 zegt: Waar naartoe?
11ie zegt: Ver weg. Misschien ga ik wel
naar Frankrijk. Druiven plukken
of zo.

Keff04 zegt: Je bent nog lang geen achttien.
11ie zegt: Ik heb veel geduld.
Keff04 zegt: Knap!
11ie zegt: En ondertussen trek ik me geen bal van burgertrutten aan.

16.

Kevins klas heeft een tussenuur. Alweer!
Eerst vond Kevin dat wel best. Maar nu begint hij zich zorgen te maken.
Engels valt wel erg veel uit. De docent is vaak ziek.
In de les vertelt hij er nooit wat over. En Kevin ziet het niet zitten om ernaar te vragen.
Kevin is niet goed in Engels. Hij staat zwaar onvoldoende. Hij wil zijn cijfer ophalen, maar dat gaat moeilijk zonder docent.
Frans gaat veel en veel beter.
Misschien ga ik ook in Frankrijk druiven plukken, denkt hij. Elfie zegt dat je daar goed mee kunt verdienen.
'Zullen we naar buiten gaan?', vraagt Adam.
Hij leunt tegen de kluisjes en kijkt verveeld om zich heen. Het is druk in de grote hal.
Er zijn nog meer lessen uitgevallen.
'Waarom maken brugpiepers altijd zoveel herrie?', vraagt hij aan Kevin.
'Omdat ze brugpiepers zijn', antwoordt Kevin.
'Jij bent ook een brugpieper geweest.'

‘Dat ben ik allang vergeten.’ Adam opent zijn kluisje en propt zijn tas erin.
‘Ja natuurlijk. We zitten al in de tweede.’
Kevin voelt in zijn broekzak.
‘Ik heb geld van mijn moeder gekregen. Ze was vergeten brood te halen.’
‘Dan gaan we naar de supermarkt’, zegt Adam.
‘Hoeveel heb je?’
‘Drie euro.’
‘Genoeg voor wat lekkers’, vindt Adam.
‘Ik moet er iets gezonds voor kopen.’
‘Ik heb vier boterhammen met kaas. Je krijgt er twee van mij.’
‘Dan moet ik zeker chips of zo halen?’ Kevin schudt zijn hoofd.
‘Ja vriend.’
‘Ik heb meer zin in koek’, zegt Kevin.
‘Ook goed. Als het maar lekker is.’
Bij de winkel moeten ze wachten. Er mogen maar vier scholieren tegelijk naar binnen.
‘Eigenlijk is dit discriminatie’, zegt Adam.
‘Ik kom hier met mijn geld ...’
‘Eh, het is mijn geld’, valt Kevin hem in de rede.
‘Je weet best wat ik bedoel. Ze denken dat alle scholieren pikken. En dat is discriminatie.

Ik heb nog nooit wat gestolen.'
'O.'
'Dat mag niet volgens mijn geloof.'
'Niemand mag stelen volgens de wet', zegt Kevin.
'Heb jij wel eens wat gestolen?'
Kevin denkt na. 'Ja.'
'Dus mijn vriend is crimineel.'
'Een piepkleine. Ik heb wel eens snoep gejat. Maar ik werd niet betrapt.'
'Dan heb je geluk gehad.'
'Zegt mijn brave vriend', lacht Kevin.
'Hé', roept Adam. 'Niet elke Marokkaan is een Ka Uu Té-Marokkaan!'
'Weet ik.' Kevin lacht. 'Anders waren wij geen vrienden. Maar ja. Nu heb je verkering.'
'Nou en?'
'Ik weet zeker dat je dit weekend met Marthy uitgaat.'
'Hoe raad je het?', vraagt Adam.
'En dan doen wij niks.'
'Neem ook verkering. Dan kunnen we met z'n vieren wat leuks doen.'
'Met wie? De enige die ik op school leuk vind heeft al verkering.'

Kevin denkt even aan Elfie. Biljartbal,
je woont te ver weg!
'Ik weet wel iemand.' Adam geeft Kevin een
stoot tussen zijn ribben.
'Ze zit op het Pinckofcollege. Ze is een zusje
van een vriend van mij. Zestien jaar en heel
knap.'
'Marokkaans?', vraagt Kevin.
'Half. Haar moeder is Nederlands. Ze mag best
veel.'
Kevin schudt zijn hoofd. 'Mm, laat maar.'
'Hoezo?'
'Ik val niet op oud', zegt Kevin.
'Waar dan wel op?'
Groen?, denkt Kevin.

17.

Keff04 zegt: Hé kale met een soort van haar.
Hoe gaat ie?
11ie zegt: Dertig stekels erbij!
Keff04 zegt: Mooi. Ga je het dan weer verven?
11ie zegt: Nooit meer.
Keff04 zegt: Geen paars, oranje, groen?
Ik vond groen het mooist.
11ie zegt: Je liegt!
Keff04 zegt: Niet echt. Het was wel apart.
11ie zegt: Dankzij mijn vriendin.
Keff04 zegt ???
11ie zegt: Ze had de verf zelf gemaakt.
Er zat iets 'natuurlijks' in, zei ze.
En daar kon mijn kop niet tegen.
Keff04 zegt: Hoofd.
11ie zegt: Zeur niet.
Keff04 zegt: Wat ga je in het weekend doen?
11ie zegt: Met allllllllllllll mijn
vriendinnen naar de film.
Keff04 zegt: Nu lieg jij.
11ie zegt: Ja.
Keff04 zegt: Waarom?

11ie zegt: De burgertrutten zullen wel samen wat leuks gaan doen. Maar ik vind burgertruttedingen niet leuk!!!!

Keff04 zegt: Houd je ook niet van chillen? Dat doen wij hier in de grote stad.

11ie zegt: Hé, hier wordt ook gechilled!

Keff04 zegt: Zullen we dan samen chillen als ik in Vaals ben?

11fie zegt: Weet ik nog niet.

Keff04 zegt: Waarom niet?

11ie zegt: Ik chill nooit.

Keff04 zegt: Waarom niet?

11ie zegt: Slimme vragen stel jij.

Keff04 zegt: Ha ha.

11ie zegt: Waarom noemen ze het chillen als je gewoon lekker buiten loopt?

Keff04 zegt: Slimme opmerking.

11ie zegt: Misschien zijn we allebei slim.

Keff04 zegt: Ik denk het wel.

11ie zegt: Ga je vrijdag of zaterdag wat doen?

Keff04 zegt: Er is kermis bij ons.

11ie zegt: Leuk???

Keff04 zegt: Nee. Behalve als je veel geld hebt. En dat heb ik niet.

11ie zegt: Dan ga je toch lekker chillen?

Keff04 zegt: Alleen?

11ie zegt: Met je vrienden.

Keff04 zegt: Adam heeft verkering!!!!!!!

11ie zegt: Mag je niet mee?

Keff04 zegt: Ik wil niet mee.

11ie zegt: O, je kunt er zeker niet tegen als ze gaan zoenen.

Keff04 zegt: &@$()&!

11ie zegt: ???

Keff04 zegt: Als ik wil heb ik zo verkering. En kan ik me te pletter zoenen!

11ie zegt: ???

Keff04 zegt: Laat maar.

11ie zegt: Nee! Ik wil het weten.

Keff04 zegt: Oké. Adam heeft een vriend met een leuk zusje. Nee fout. Een zus. Ze is al zestien.

11ie zegt: Wil zíj met jou verkering????

Keff04 zegt: Ze weet niet dat ik veertien ben. Want ik zie er ouder uit.

11ie zegt: Nou, niet op de webcam!

18.

Om kwart over zeven gaat Kevins wekker af.
Hij geeft een dreun op de knop.
Alweer maandag, denkt hij.
Hij blijft nog even liggen en kijkt door het raam naar buiten.
Hij doet nooit zijn gordijnen dicht. De lucht is blauw.
Wat een flutweekend is het geweest, denkt hij. Vrijdag 'gezellig' met z'n allen naar de tv gekeken.
Zaterdag kwamen de vrienden van zijn ouders kaarten. Oké, er was wel weer wat lekkers.
Dit keer minihamburgers die je zelf mocht versieren. Met sausjes, sla en uitjes.
Elfie is het hele weekend niet online geweest.
Zou ze toch gechilled hebben?
Het is vijf voor zeven.
Kom op!, denkt Kevin. Uit bed!
Hij gooit het dekbed van zich af. In zijn nakie loopt hij naar zijn klerenkast. Voor de spiegel blijft hij even staan.

Hij staart naar zijn lijf.
Hm, denkt hij. Ik zie er best wel ouder dan veertien uit. Misschien wil ik toch wel een keer met die zus afspreken.
Hij pakt schoon ondergoed en een spijkerbroek uit de kast. Hij twijfelt of hij een shirt of een bloes aan zal trekken.
Het wordt een blauw shirt. Dat staat goed bij zijn lichtblauwe ogen.
Als hij beneden komt zit zijn vader koffie te drinken.
'Goedemorgen', zegt hij. 'Heb je lekker geslapen?'
'Mm. Ik denk het wel', antwoordt Kevin.
'Want ik weet niet wat er vannacht gebeurd is. Ik lag te slapen.'
'Ha ha.' zijn vader neemt nog een slok koffie.
'Ik wil vroeg weg. Misschien sta ik dan niet in de file.'
'Waarom ga je niet op de fiets?', vraagt Kevin.
'Naar je werk is het maar tien kilometer.'
'Omdat mijn fiets aan alle kanten kraakt en piept.'
'Koop dan een nieuwe. Zo een met een motortje. Dan hoef je niet zo hard te trappen.'

'Je denkt zeker dat ik geld te veel heb.'
Kevin smeert een boterham.
'Ik kan het voor je uitrekenen. Vijf keer per week twintig kilometer rijden. Dat is honderd kilometer. Maar je staat zo vaak in de file. Dan verbruik je brandstof voor niets. Dus verbruik je veel meer.'
Zijn vader zwaait met zijn hand. 'Ik weet het.'
'Fietsen is beter voor het milieu', zegt Kevin.
'Dat weet ik ook.'
'En voor je gezondheid.'
'Houd maar op', zucht zijn vader.
'Je vindt fietsen toch zo leuk?', gaat Kevin verder. 'In Limburg wil je elke dag gaan fietsen.'
'We gaan daar fietsen huren.'
'Dat kost ook geld. Koop een goede fiets. En zo'n ophangding voor achter je auto. Dan kun je altijd overal lekker fietsen.'
'Je kunt maar twee fietsen op zo'n drager zetten', zegt zijn vader. 'Wat moet jij dan?'
'Ik houd niet van fietsen.'

19.

11ie zegt: Ik ben uit geweest.
Keff04 zegt: Met wie?
Keff04 zegt: Waar?
Keff04 zegt: Waarom?
11ie zegt: Met Thomas.
11ie zegt: Film, en daarna nog wat ...
11ie zegt: Hij vroeg het.
Keff04 zegt: En daarna WAT ...?
11ie zegt: O, nog een stukje gelopen. En ...
Keff04 zegt: En wat?
11ie zegt: Hij heeft me gezoend.

Kevin tikt met zijn vingers op zijn bureau.
Trut, denkt hij.

Keff04 zegt: Oké, dan neem je toch lekker verkering met hem?
11ie zegt: ???
Keff04 zegt: Ik had toch al niet zoveel zin om naar je toe te komen.
11ie zegt: ???
Keff04 zegt: Houd daar toch eens mee op.

Zeg gewoon wat!
11ie zegt: Ben je boos?
Keff04 zegt: Nee.
11ie zegt: Wat is er dan?
Keff04 zegt: Niks.
11ie zegt: Waarom wil je niet naar me toe komen?
Keff04 zegt: Je hebt verkering.
11ie zegt: ???
Keff04 zegt: ????
11ie zegt: ?????
Keff04 zegt: Ja, zo kunnen we uren doorgaan.
11ie zegt: Ik heb geen verkering.
Keff04 zegt: O.
11ie zegt: Echt niet. Ik dacht dat hij leuk was. Niet dus. En toen ...
Keff04 zegt: Toen???
11ie zegt: Nou, hij wilde me per se naar huis brengen.
Keff04 zegt: En toen?!
11ie zegt: Ik wist eigenlijk niet wat ik moest doen. Ik bedoel, ik weet niet eens waarom ik met hem uit wilde. Nou ja, hij valt niet onder de mannelijke

burgertrutten. Misschien daarom.

Keff04 zegt: Hoe vaak heb je al verkering gehad?

11ie zegt: Nooit.

Keff04 zegt: Waarom niet?

11ie zegt: Je gaat me niet pesten, hè?

Keff04 zegt: Nee.

11ie zegt: Ik vind het eng.

Keff04 zegt: Waarom?

11ie zegt: Weet ik veel. Nou ja, zoenen en zo.

Keff04 zegt: Je hebt gezoend!!!

11ie zegt: Ik vond er geen bal aan.

Keff04 zegt: ???

11ie zegt: Ik ga niet alles vertellen.

Keff04 zegt: Alleen het zoenen!

11ie zegt: Ik vond het VIES! Tegen niemand zeggen!!!

Keff04 zegt: Beloofd!

11ie zegt: We stonden een stukje bij mijn deur vandaan. En ik zei:
nou doeg, het was leuk. Toen kwam hij met zijn hoofd naar mij toe. En toen drukte hij zijn mond

op mijn mond. En toen wist ik
niet wat ik moest doen. En
het duurde best wel lang.
En toen dacht ik dat ik stikte.
En toen deed ik mijn mond
een beetje open. En toen propte
hij zijn tong in mijn mond.
Gatver de gatver!!!!!!!!!!!!!!!!

Keff04 zegt: Woh!

11ie zegt: Helemaal niet. Ik vond het echt SMERIG!

Keff04 zegt: En toen?

11ie zegt: Nou, toen ging hij met zijn tong heen en weer. En ik dacht alleen maar: STOP!!

Keff04 zegt: Is het echt zo vies?

11ie zegt: Hoezo?

Keff04 zegt: Ik, eh ...

11ie zegt: Woh, ik snap het.

Keff04 zegt: Wat?

11ie zegt: Jij hebt nog nooit gezoend!

20.

Je hebt gelijk, denkt Kevin. Ik heb nog nooit ECHT gezoend.
Ik durf het niet. Als ik het doe komt een meisje misschien met haar tong klem tussen mijn beugel te zitten. Misschien gaat ze zelfs bloeden. Kots kots!
Kevin gaat op zijn bed liggen.
Durf ik wel naar Elfie?, denkt hij. Dan zien we elkaar live. En dan komt ze erachter dat ik een beugel heb. Op de webcam kan ze dat niet zien. Want ik doe mijn mond nooit echt open. Nog acht maanden, dan ben ik van dat ding verlost. Maar dan heb ik wel lekker rechte tanden.
Kevin schopt het dekbed op de grond.
Hij voelt zich rot.
Elfie heeft met een jongen gezoend.
Adam heeft verkering.
Hij heeft nog nooit gezoend!
Nou ja, de zoenen van zijn moeder telt hij niet mee.
En hij heeft nog nooit verkering gehad.

Hij staat op en loopt naar de spiegel.
Hij staart naar zijn spiegelbeeld.
Oké, dit ben ik, denkt hij. Niet te dun, niet te dik. Al op zijn minst één meter vijfenzestig.
Blond haar, blauwe ogen.
Hij strijkt over zijn neus.
Die is misschien een beetje klein. Of niet.
Het maakt hem eigenlijk niet uit.
Maar hoe moet je echt zoenen?, denkt hij.
Hij doet zijn mond een beetje open. Hij steekt zijn tong uit en beweegt hem heen en weer.
Zo deed dat vriendje van Elfie het toch?
Moet het zo?
Zijn tong raakt de spiegel.
Koud!
Kevin doet snel zijn mond dicht.
Misschien heeft Elfie gelijk, denkt hij.
Misschien is het echt vies.
Zijn mobiel gaat af. Adam staat op het scherm.
Kevin neemt snel op.
'Je moet me helpen', zegt Adam. 'Ik heb mijn wiskundeboek in mijn kluisje laten liggen. En morgen hebben we een repetitie.'
'Hè?'

‘Heb je niet in je agenda gekeken?’
Kevin loopt naar de houten tafel die hij als bureau gebruikt.
Zijn agenda ligt naast zijn wiskundeboek.
‘Even wachten’, zegt hij.
Ja, het staat erin. Dinsdag het vierde uur repetitie wiskunde.
‘Vriend, bedankt voor het bellen. Ik ga gelijk leren.’
‘Wacht!’, roept Adam.
‘Wat is er?’
‘Ik zeg net dat mijn boek op school ligt. Ik kan niet leren.’
‘Waarom bel je mij? Waarom bel je Marthy niet even? We hebben allemaal hetzelfde boek.’
‘We hebben ruzie’, zegt Adam.
‘Hè?’
‘Ja.’ Kevin hoort Adam zuchten.
‘Ik was vanmiddag bij haar. We zouden samen leren.’
‘Leuk toch?’, zegt Kevin.
‘Eerst wel. We hadden even wat gedronken. Toen gingen we zoenen.’
Hij wel, denkt Kevin.

‘En toen raakte ik haar bobbels aan.’
Kevin draait zich snel om. Hij stoot zijn been tegen de tafel. Au!
Bobbels? denkt hij. Hij bedoelt zeker tieten!
‘Je zat aan haar ...?’
‘Ja.’
‘En toen?’, vraagt Kevin zachtjes.
‘Ze werd boos. Nee, kwaad! Ze sloeg me keihard op mijn hand. En dat pik ik niet. Van niemand!’
‘En nu?’, vraagt Kevin.
‘Nu? Het is uit. Ze zei dat ik een viezerik ben.’
‘O.’
‘Nou, ik vond het niet vies.’
‘Kom maar bij mij leren’, zegt Kevin.
‘Dank je, vriend.’ Adam hangt op.
Kevin loopt nog een keer naar de spiegel.
‘Man’, zegt hij tegen zichzelf. ‘Je loopt zwaar achter.’

21.

11ie zegt: XXX
Keff04 zegt: ?????????
11ie zegt: Je bent gezoend.
Keff04 zegt: Ha ha. Maar niet heus!!!!!!!!!!
11ie zegt: Grapje.
Keff04 zegt: Oké.
11ie zegt: Nog vier weken.
Keff04 zegt: ???
11ie zegt: Dan ben je hier.
Keff04 zegt: Dat is waar.
11ie zegt: Moeten we al een dag afspreken?
Keff04 zegt: We moeten niets.
11ie zegt: O. Wil je niet meer?
Keff04 zegt: Jawel.
11ie zegt: Nou dan.
Keff04 zegt: Ik weet niet wat mijn ouders allemaal van plan zijn.
11ie zegt: Je wilt toch niet met hen gaan fietsen?
Keff04 zegt: Klopt.
11ie zegt: Jullie komen op vrijdag aan?

Keff04 zegt: Ja.

11ie zegt: Dan kunnen voor zaterdag wat afspreken.

Keff04 zegt: Wat gaan we dan doen?

11ie zegt: Chillen.

Keff04 zegt: Doe normaal.

11ie zegt: Wat is er met je?

Keff04 zegt: Niks.

11ie zegt: Je doet zo ... Ik weet het niet.

Keff04 zegt: Ik ook niet.

11ie zegt: Ben je zenuwachtig?

Keff04 zegt: Nee. Hoe is het met je haar?

11ie zegt: Goed. Nog even en blonde krullen wapperen om mijn hoofd.

Keff04 zegt: Ik zal mijn camera meenemen.

11ie zegt: Leuk. Dan neem ik mijn camera ook mee. Say cheese!!!

Keff04 zegt: Misschien.

11ie zegt: Ik denk dat er echt iets met je aan de hand is.

Keff04 zegt: Nee.

11ie zegt: We zijn toch altijd eerlijk tegen elkaar?

Keff04 zegt: Ja.

11ie zegt: Dus?????????????

Keff04 zegt: Adam heeft het uitgemaakt.

11ie zegt: Waarom?

Keff04 zegt: Hij heeft aan Marthy's bobbels gezeten.

11ie zegt: Bobbels? Is ze ziek?

Keff04 zegt: Tieten.

11ie zegt: Zeg dat dan gewoon.

Keff04 zegt: Zo zei hij het.

11ie zegt: Maar je wist wel meteen wat hij bedoelde!!!!!!!!

Keff04 zegt: Ja.

11ie zegt: Nou Kev, ik waarschuw je. Ik vind het hartstikke leuk om je
te ontmoeten. Maar we
gaan echt niet meteen bobbelen.

22.

Niet meteen bobbelen?, denkt Kevin. Wil ze dat daarna wel? Help!
Hij kijkt op de klok.
Over tien minuten kan Adam hier zijn.
Hij komt weer bij hem huiswerk maken, want het is nog steeds uit met Marthy. Al drie dagen.
Vanmiddag zat Marthy in de pauze met vriendinnen te praten. Ze draaide haar hoofd om toen Adam en hij langsliepen.
Kevin heeft even stiekem naar haar bobbels gekeken.
Ze zijn niet echt groot. Maar je zag ze goed omdat ze een strak truitje aanhad.
Bobbels!
Hij heeft nog nooit op Elfies bobbels gelet.
Hij heeft geen idee of ze groot of klein zijn.
En hij kan het niet controleren. Die tut zet nog steeds haar webcam niet aan.
Kevin gooit zijn wiskundeboek op de bank.
Voor morgen moeten ze twintig opgaven maken.

Adam en hij maken ieder de helft. En dan schrijven ze ze van elkaar over. Dat scheelt een hoop denkwerk.
Die tijd kan hij gebruiken voor zijn boekverslag.
Hij begrijpt niet waarom hij daar zo veel voor moet doen.
Je leest een boek. Je vindt het leuk of niet. Klaar!
Waarom moet je dan nog zo veel opdrachten maken?
De bel gaat. Adam is er. Hij komt vrolijk binnen.
'Zullen we gelijk beginnen?', zegt hij. 'Ik heb niet zo veel tijd.'
'O?', vraagt Kevin.
Adam lacht. 'Ik ga straks even naar Marthy.'
'Waarom? Het is toch uit?'
'Ze heeft me gebeld. Misschien wil ze het goedmaken.'
'En dan mag je wel aan haar bobbels zitten?', vraagt Kevin.
'Ik hoop het.'
Adam pakt zijn wiskundeboek.
'Jij opdracht één tot en met tien en ik de rest?'

Kevin staat nog bij de deur.
'Adam, mag ik je wat vragen?'
'Natuurlijk.'
'Eh ... Marthy's bobbels ...'
'Wat is daarmee?'
'Ik bedoel eigenlijk: bobbelen.'
'Ik begrijp er niets van', zegt Adam.
'Hoe moet je bobbelen zonder ruzie te krijgen?'
'Tja vriend,' lacht Adam, 'dat moet je zelf uitproberen.'

23.

Keff04 zegt:	Ik geloof dat het weer aan is.
11ie zegt:	???
Keff04 zegt:	Met Adam en Marthy!!
11ie zegt:	Boeiend.
Keff04 zegt:	Nou ja, dat is toch leuk voor hen.
11ie zegt:	Vast wel. Kan hij weer bobbelen!
Keff04 zegt:	Daar denkt hij heus niet alleen aan.
11ie zegt:	Volgens mij denken alle jongens daaraan.
Keff04 zegt:	Niet waar. En trouwens, ik weet dat jij het niet wilt. Dus respect!
11ie zegt:	Niet meteen.
Keff04 zegt:	Waarom hebben we het eigenlijk over bobbelen?
11ie zegt:	Ander onderwerp?
Keff04 zegt:	Ja!!! Mijn moeder is bezig met koffers pakken.
11ie zegt:	Nu al?
Keff04 zegt:	Daar begint ze weken van tevoren mee, want ze is bang dat ze iets vergeet.

11ie zegt: Dus nou heb je maar de helft van je onderbroeken en sokken. Dan moet je moeder wel vaker wassen.

Keff04 zegt: Ha ha, komt wel goed hoor. Nog wat van Thomas gehoord?

11ie zegt: Ja, hij heeft verkering met een burgertrut.

Keff04 zegt: Die wel wil zoenen?

11ie zegt: Weet ik veel. Ik ben er niet bij en het interesseert me geen bal.

Keff04 zegt: Biljartbal?

11ie zegt: Ik ben geen biljartbal meer. Mijn haar groeit!

Keff04 zegt: Fijn voor je. Zet je webcam aan!

11ie zegt: Nee, misschien volgende week.

Keff04 zegt: Doe niet zo moeilijk. Oké, ik weet wat. Als jij je cam aanzet, laat ik ook wat zien.

11ie zegt: ???

Keff04 zegt: Aanzetten!!!

Kevin staart naar het scherm.
Gaat ze het doen?, denkt hij.

11ie zegt: Ik durf niet.
Keff04 zegt: Wat kan er gebeuren?
11ie zegt: Zoveel heb ik nog niet.
Keff04 zegt: ???
11ie zegt: Haar!
Keff04 zegt: Zet dat ding aan!

Linksboven op het scherm ziet hij heel vaag Elfies gezicht.
Keff04 zegt: Dichterbij!

Elfie staart Kevin met grote ogen aan.
Ze heeft echt weinig haar, denkt Kevin. Maar het ziet er niet stom uit. Ze lijkt een beetje op, eh, iemand die zijn kop heeft kaalgeschoren.

Keff04 zegt: Hoi.
11ie zegt: Haai. Geschrokken?

Kevin schudt zijn hoofd.
11ie zegt: Oké. Nu jij. Dat heb je beloofd.

Kevin buigt zijn hoofd zo dicht mogelijk naar de lens. Met een grote neplach laat hij zijn tanden zien.

11ie zegt: Je hebt een beugel. Is dat het?
Keff04 zegt: Ja.
11ie zegt: Ik dacht ik heel wat anders te zien kreeg.
Keff04 zegt: Zoals?
11ie zegt: Een paar grote puisten?
Keff04 zegt: En als ik die had?
11ie zegt: Dan moet je zo'n veelbelovend middeltje bij de drogist kopen.
Keff04 zegt: Ik ben blij dat ik je weer zie.
11ie zegt: Ik ook. Vind je me lelijk?
Keff04 zegt: Nee, ex-biljartbal!!!

24.

Kevin komt thuis van gitaarles. Het was weer leuk. Hij speelt steeds beter.
Vlak voor de vakantie geeft de muziekschool een optreden.
Hij mag een solo spelen.
Misschien nodigt hij mevrouw Hedy wel uit om te komen luisteren.
'Mam!', roept hij als hij binnenkomt.
Hij krijgt geen antwoord.
'Mam, waar ben je?'
De keukendeur staat open. Zijn moeder is in de tuin.
'Hoi', zegt ze, terwijl ze haar vieze handen aan een oude lap afveegt.
'Ik heb eindelijk eens die verdorde bloemen weggehaald. Hoe was het op les?'
'Goed. Eigenlijk heel goed. Ik mag als enige van de derdejaars een solo bij de uitvoering geven.'
'Wat goed van je!'
Kevins gitaar hangt nog in de tas op zijn rug.
'Zal ik laten horen wat ik ga spelen?'

Zijn moeder gaat op de tuinbank zitten.
Kevin haalt zijn gitaar uit de tas en ploft naast haar neer.
'Het is best een moeilijk stuk', zegt hij.
Hij speelt het nummer, en als hij klaar is krijgt hij applaus van zijn moeder.
'Mooi!', zegt ze.
'Jullie komen toch wel kijken, hè?', vraagt Kevin.
'Dan kan pap het opnemen en dan kan ik het aan Elfie laten zien.'
Zijn moeder knikt.
'Ben je verliefd op haar?', vraagt ze ineens.
Kevin voelt dat zijn wangen rood worden.
'Hoezo?'
'Ik hoor je alleen maar over Elfie praten.
Nooit over een meisje bij ons in de buurt.'
'Nou en? we MSN'en. Dat mag toch wel?
En als we nu toevallig bij haar in de buurt op vakantie gaan, is het logisch dat ik haar wil zien. Ja toch?'
Zijn moeder zucht.
'Soms valt het tegen als je elkaar voor het eerst echt ontmoet. Vroeger hadden we geen computers en MSN en zo.

Ik had een penvriendin.'
Kevin trekt zijn wenkbrauwen omhoog.
'Ik schreef met een meisje uit Engeland. Josie.
We stuurden om de week een brief.
We stuurden elkaar foto's en met
verjaardagen een cadeautje.'
'Goed voor je Engels. Dat schrijven bedoel ik.'
'Jazeker', zegt zijn moeder. 'Ik haalde een
negen voor mijn examen.'
'Maar ...'
'Ja, zeg dat wel. Maar ... toen kwam Josie
op vakantie naar Nederland. Natuurlijk
maakten wij een afspraak. We wilden elkaar
dolgraag zien. Nou, dat werd een supergrote
tegenvaller.'
'Vertel.'
'We hadden in Amsterdam afgesproken, want
daar logeerde ze.
Maar van alles wat ze in haar brieven had
geschreven klopte weinig.
Ze leek helemaal niet op de foto's die ze had
opgestuurd. En ze was gewoon een verwend
kind.
Zij wist zogenaamd al alles van Amsterdam
en zij zou wel even regelen wat we allemaal

gingen doen. Nou, na een uur had ik er al
genoeg van. Ik ging naar huis.'
'Zonde van je treinkaartje', zegt Kevin.
'Ja, jammer', knikt zijn moeder. 'Ik heb daarna
nooit meer iets van haar gehoord.'
'Vond je dat erg?'
'Nee. Maar ik hoop dat jij je niet te veel
voorstelt bij een ontmoeting met Elfie.'
'Mam! Ik ga gezellig mee naar Vaals. En Elfie?
Ik zie wel.'

25.

Keff04 zegt: Nog drie dagen.
11ie zegt: Jep!
Keff04 zegt: Zaterdag kom ik met de bus naar je toe.
11ie zegt: Om twaalf uur.
Keff04 zegt: Denk je dat we elkaar meteen herkennen?
11ie zegt: Waarom niet?
Keff04 zegt: Mijn moeder vertelde pas een verhaal over haar oude penvriendin.
Elfie zegt: Penvriendin??? Dat is antiek.
Keff04 zegt: De technologie haalt ons in.
11ie zegt: Wat was er met dat schrijfmeisje?
Keff04 zegt: Ze leek niet echt op de foto's die ze had gestuurd.
11ie zegt: Hallo, ik zit weer op mijn webcam!
Keff04 zegt: Ja.
11ie zegt: O, ik weet het al. Mijn krullen dansen nog steeds niet.
Ik zet wel een groene pet op.

Je houdt toch van groen?

Keff04 zegt: Ook van paars.

11ie zegt: Dan zet jij een paarse op.

Keff04 zegt: Ik heb geen paarse pet.

11ie zegt: O help! Hoe herken ik dan een jongen die om twaalf uur bij de bushalte zenuwachtig op een meisje staat te wachten?

Keff04 zegt: Ik ben niet zenuwachtig.

11ie zegt: Ik ook niet.

Keff04 zegt: Laat die groene pet maar thuis.

112ie zegt: We gaan gewoon leuke dingen doen.

Keff04 zegt: Zoals?

11ie zegt: Lopen, wandelen, rondkijken ...

Keff04 zegt: Laat me raden. We gaan chillen.

11ie zegt: Als jij het zo wilt noemen. Maar er zijn in de buurt best leuke dingen om te doen.

Keff04 zegt: We blijven maar een week. En ik moet ook nog een keer fietsen met mijn ouders.

11ie zegt: Je houdt niet van fietsen, hè?

Keff04 zegt: Nee. Ik ben blij met mijn OV-abonnement.

11ie zegt:	We zien wel wat we gaan doen.
Keff04 zegt:	Ik krijg steeds meer zin in de vakantie.
11ie zegt:	Ik ook.

26.

Kevin hangt achter in de auto met zijn hoofd tegen het raam.
Zijn moeder zit achter het stuur.
Zijn vader ligt met halfopen mond naast haar te slapen. Af en toe maakt hij een raar geluid.
Nog een uur, dan zijn ze op hun vakantieadres.
Kevins gitaar staat naast hem op de achterbank.
Hij heeft de noten van het liedje voor Elfie in een muziekschrift opgeschreven.
Morgen gaan ze elkaar zien.
Kevin voelt een vreemd gevoel in zijn maag.
Zijn het zenuwen?
'Mam, wil je wat drinken?', vraagt hij.
Achter zijn moeders stoel staat een koelbox.
Er zitten een paar flesjes water, cola en sap in.
'Nee dank je', antwoordt zijn moeder. 'Maar neem zelf wat als je dorst hebt.'
Kevin pakt een flesje cola. Hij draait de dop los en neemt een paar grote slokken.
'Sorry', zegt hij als hij een grote boer laat.

'Mm', mompelt zijn moeder.
Kevin legt het flesje naast zich neer.
Eigenlijk heeft hij geen dorst. Hij zit de hele tijd aan Elfie te denken.
Gisteravond hebben ze nog op MSN gepraat.

11ie zegt: Hoe laat gaan jullie weg?
Keff04 zegt: Ik heb tot vijf voor half drie les. Mijn ouders halen me van school op.
11ie zegt: En dan moeten jullie nog meer dan twee uur rijden!
Keff04 zegt: Ja, maar als ik spijbel belt de school meteen naar Leerplicht.
11ie zegt: Ze moeten ons gewoon de dag voor de vakantie een middag vrij geven.
Keff04 zegt: Helemaal mee eens.

Kevin staart naar buiten.
Het is druk op de weg. Zij zijn niet de enigen die op vakantie gaan. Ze rijden nog net niet in een file. Naast hen rijdt een volgeladen auto. Kevin ziet dat er op de achterbank vier kinderen dicht tegen elkaar opgepropt zitten.

Ik geloof dat ik het niet erg vind om enig kind te zijn, denkt Kevin.
Eindelijk komen ze in Vaals aan.
Eerst mist zijn moeder een afslag op de rotonde, maar dan rijden ze een heuvel op.
Boven op het bergje stuurt zij de auto naar links en dan zijn ze op hun bestemming.
Mm, denkt Kevin. Het ziet er wel leuk uit.
De verbouwde boerderij is onderverdeeld in acht huisjes.
Er is een mooi binnenplein dat vol met bloemen staat. Vanaf de parkeerplaats kijk je over een dal waar paarden staan te grazen.
In de verte ziet Kevin een grotere berg.
'Dat is het Drielandenpunt', zegt zijn moeder.
'We kunnen er een keer naartoe wandelen of fietsen.'
'Doe maar lopen', zegt Kevin.
De tassen en koffers worden uitgeladen.
Kevin pakt zijn gitaar van de achterbank en volgt zijn moeder.
Zij heeft de sleutel van hun huisje. Ze opent de deur en vraagt aan Kevin: 'Help jij pap even met sjouwen?'
'Mag ik eerst even rondkijken?', vraagt Kevin.

'En ik moet ook naar de wc.'
Zijn moeder knikt.
Als de koffers uitgepakt zijn en alles op zijn plek ligt zegt zijn moeder: 'Jullie weten het, op de eerste dag kook ik niet.'
'Gaan we naar een restaurant?', vraagt Kevin.
'Ik kan kijken of er in Vaals een Chinees is', zegt zijn vader. 'Dan haal ik wel wat.'
'Mam?' Kevin kijkt zijn moeder smekend aan.
'Ik heb geen trek in babi pangang of saté.'
'Eigenlijk heb ik wel zin in een lekker stukje biefstuk, met een sausje en gebakken aardappeltjes', zegt zijn moeder.
'Oké, ik snap het.' Kevins vader pakt de autosleutels van de tafel.
'We gaan uit eten.'

Als Kevin om elf uur naar bed gaat controleert hij voor de vierde keer of zijn wekker goed staat.
Hij hoeft morgen pas om twaalf uur bij Elfie te zijn. Maar hij wil op tijd opstaan. Want hij wil dat zijn haar goed zit als hij Elfie ziet.

27.

'Heb je je telefoon bij je? En genoeg geld?'
Zijn moeder drinkt een laatste slok van haar koffie. 'Ik breng je met de auto naar het busstation in Vaals. En daar ...'
'Ja mam, dat weet ik. Dan neem ik bus 143 en vraag aan de buschauffeur waar ik uit moet stappen.'
'En als je denkt dat Elfie ...'
'Ja mam, dan doe ik net als wat jij vroeger gedaan hebt. Dan ga ik na een uurtje weer naar huis.'
'Wij blijven vandaag op de boerderij.' Zijn moeder kijkt naar de lucht. 'Het wordt mooi weer. Pap en ik gaan lekker van het zonnetje genieten.'
'Jullie mogen van mij gerust weg hoor.'
'Als je haar leuk vindt, mag ze best een dagje komen.'
'Ik zal het tegen haar zeggen. Zullen we gaan?'

In de bus is het warm. Kevin kijkt op zijn horloge. Over drie kwartier is hij bij Elfie.

Bij de volgende halte stappen twee jongens in. Ze maken herrie en ploffen op de stoelen achter Kevin neer. Ze praten hard tegen elkaar, maar Kevin kan er niets van verstaan. Is dit Limburgs?, denkt hij.
Ineens hangt een van de jongens over Kevins stoel. Hij zegt iets waar Kevin niets van begrijpt.
'Sorry, ik weet niet waar je het over hebt.'
Kevin haalt zijn schouders op.
'Ah, je komt van boven de rivieren', zegt de jongen. Nu verstaat Kevin hem wel.
'Ja, ik ben hier op vakantie.'
'Waar ga je naartoe?', vraagt de jongen.
'Ik heb met iemand afgesproken.'
'Ken je hier iemand?'
Kevin knikt. 'Via MSN.'
'Doe je dat?' De jongen klinkt verbaasd.
'Wat bedoel je?'
De jongen kijkt even naar zijn vriend.
'Afspreken via MSN?'
'Nou en?' Kevin haalt z'n schouders op.
'Je moet het zelf weten.' De jongen gaat weer zitten. Kevin hoort hem in dialect met zijn vriend praten.

Ik ga toch gewoon naar Elfie, denkt hij. Wat is daar mis mee?
Ineens staat de andere jongen naast Kevin.
'Ken je die persoon?', vraagt hij.
'Ja, al een jaar. En de persoon is een meisje.'
'Weet je dat zeker?'
'Ja, waarom niet?', vraagt Kevin.
De jongen houdt zich aan de armleuning vast.
'Ik heb een paar foute afspraakjes gehad.
Ik doe het niet meer via MSN.'
'Rot voor je', zegt Kevin.
'Pas maar op', zegt de jongen, en dan draait hij zich om.

28.

De bus stopt. Kevin loopt naar buiten.
Hij is blij dat hij de warme bus uit kan.
Buiten waait een lekker windje.
Hij kijkt om zich heen.
De klok die boven het station hangt staat op tien voor twaalf.
Ik heb nog tien minuten, denkt Kevin.
Met zijn handen in zijn zakken loopt hij naar een kiosk waar eten en drinken wordt verkocht.
Zal ik een cola kopen?, denkt hij.
Hij slikt een paar keer. Zijn mond is droog.
Ineens hoort hij een stem achter zich.
'Kevin?'
Hij draait zich om.
'Elfie?'
'Ik heb een bus eerder genomen. Ik was hier al om halftwaalf.'
Kevin en Elfie kijken elkaar aan.
'Je haar is hard gegroeid', zegt Kevin.
'Je ziet er echt uit als Kevin', zegt Elfie.
'En jij als geen-biljartbal-meer-Elfie.'

‘Hoi.’
‘Hoi Elfie zonder groen haar.’
‘Hoi Kevin van MSN. Ga je mee?’
‘Wat gaan we doen?’
‘Eh, gewoon eerst een beetje rondlopen?’

‘Hoe was het?’, Kevins moeder houdt de deur van de auto open.
Kevin stapt in. Het is bijna tien uur. De bus kwam precies op tijd bij het station in Vaals aan.
‘Leuk.’
‘Alleen maar leuk?’, vraagt zijn moeder.
‘Ik hoef toch niet alles te vertellen?’
‘Eigenlijk wel.’
‘Mam, je bent te nieuwsgierig!’ Kevin klapt zijn deur dicht.
‘Je hebt niet gebeld’, zegt zijn moeder.
‘Nee. Dat was niet nodig.’
‘Heb je het wel naar je zin gehad?’
‘Mam!’
‘Nou ja, ik vraag het alleen maar.’
‘Kan ik zo nog wel even douchen?’
‘We hebben vakantie!’

Kevin spoelt de gel uit zijn haar. Hij blijft een lange tijd onder het warme water staan.
Elfie is leuk, denkt hij. Jammer dat ze zover weg woont, verkering gaat daarom niet.
Maar ze komt nog een keer naar de boerderij en dan speel ik mijn liedje voor haar.
We blijven MSN'en.
En, ik weet nu hoe je moet zoenen en bobbelen!

THUISFRONT:

Herkenbare, spannende verhalen voor jongeren

Annie van Gansewinkel

Zat

Sinds de scheiding van haar ouders woont Roos bij haar moeder. Maar die is altijd ziek en ligt de hele dag op de bank. Roos komt erachter dat haar moeder te veel drinkt.

111 pagina's ¦ ISBN 978 90 8696 101 6

Anne-Rose Hermer

Schuld

Als John een ongeluk krijgt met zijn scooter, moet hij de schade zelf betalen. Al snel komt hij erachter dat er verschillende manieren zijn om aan geld te komen ...

104 pagina's ¦ ISBN 978 90 8696 133 7

Marjan van Abeelen

Internetdate

Kevin is 14 en gaat zijn chatvriendin Elfie voor het eerst ontmoeten. Maar is Elfie in het echt ook zo leuk? En wat moet hij doen als ze wil zoenen of misschien wel meer?

92 pagina's ¦ ISBN 978 90 8696 132 0